KB033984

L 부인과의 인터뷰

홍지혜

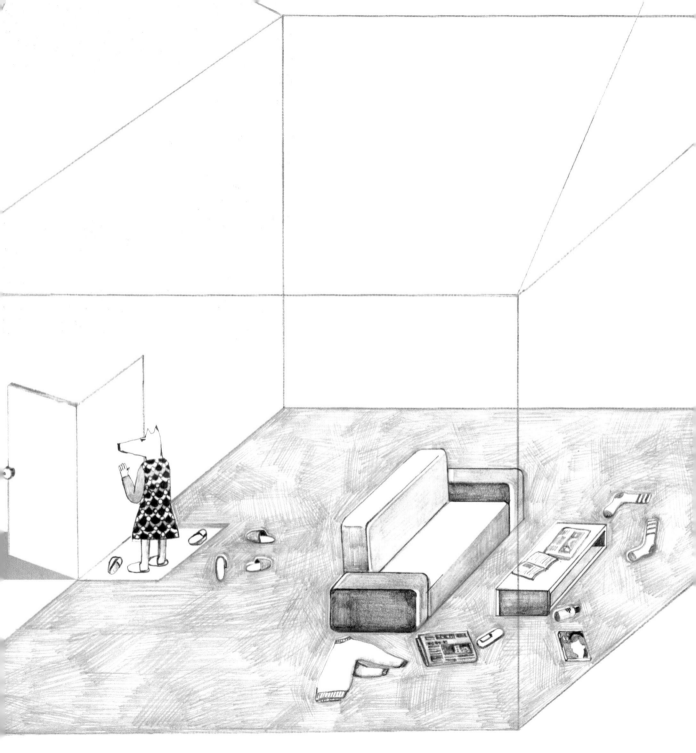

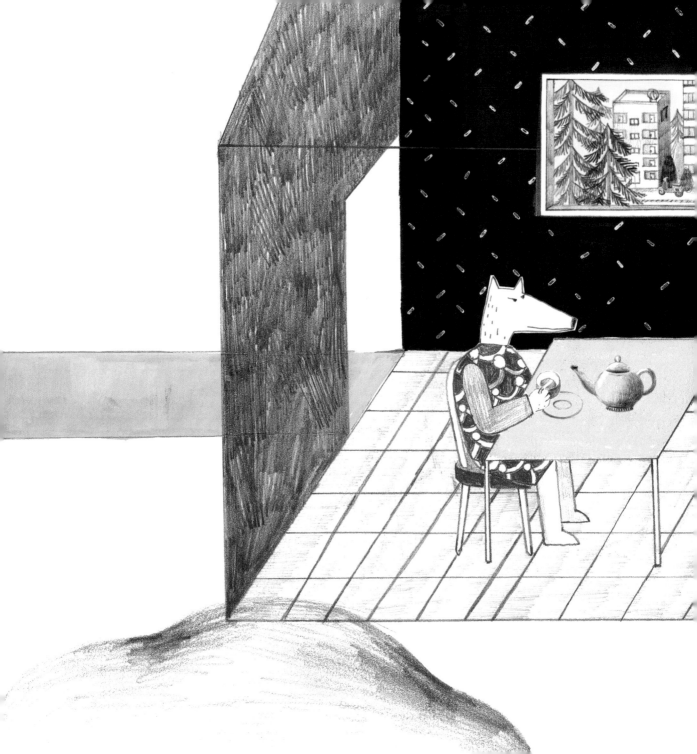

안녕하세요.

안녕하세요.

이름이 어떻게 되시죠?

그냥 L 부인이라고 불러 주세요.

(저희 인터뷰는 평범한 사람들의 평범한 하루를
있는 그대로 보여 주는 것입니다.)

L 부인, 가족은 어떻게 되시죠?

토끼 같은 딸과 착한 신랑과 함께 살고 있어요.

지금의 남편분은 어떻게 만나셨나요?

아, 우리 신랑이요?
처음엔 먹잇감으로 점찍어 접근했죠.
그런데 사슴 같은 눈망울에 빠져 결혼까지 하게 되었네요.

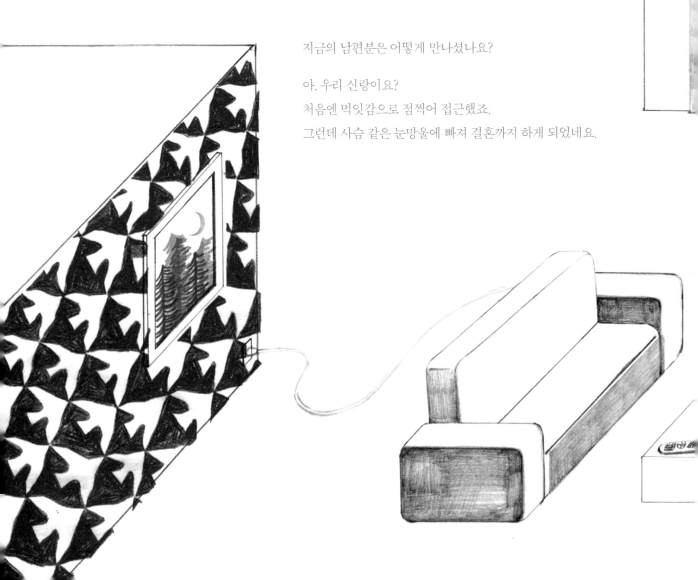

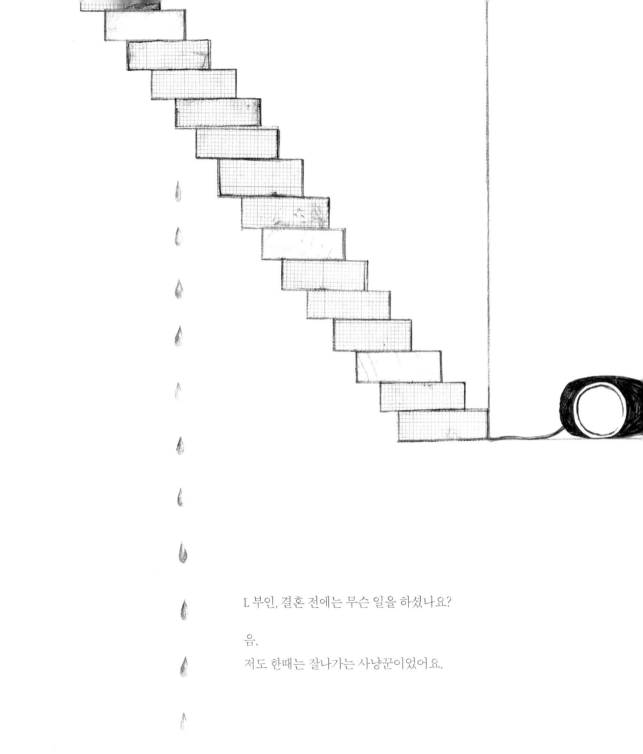

L 부인, 결혼 전에는 무슨 일을 하셨나요?

음,
저도 한때는 잘나가는 사냥꾼이었어요.

먹잇감을 정하면 절대로 놓치는 법이 없었죠.
그리고 결혼 후에는 학생들을 가르쳤어요.

지금은요?

아이를 낳은 후 그만뒀어요.

강의 요청은 계속 들어왔는데, 아이를 봐 줄 사람이 없었죠.
매일 밤늦게 들어와야 했고요.
그리고 일 년, 이 년 지나니 이제 강의 요청도
들어오지 않더라고요.

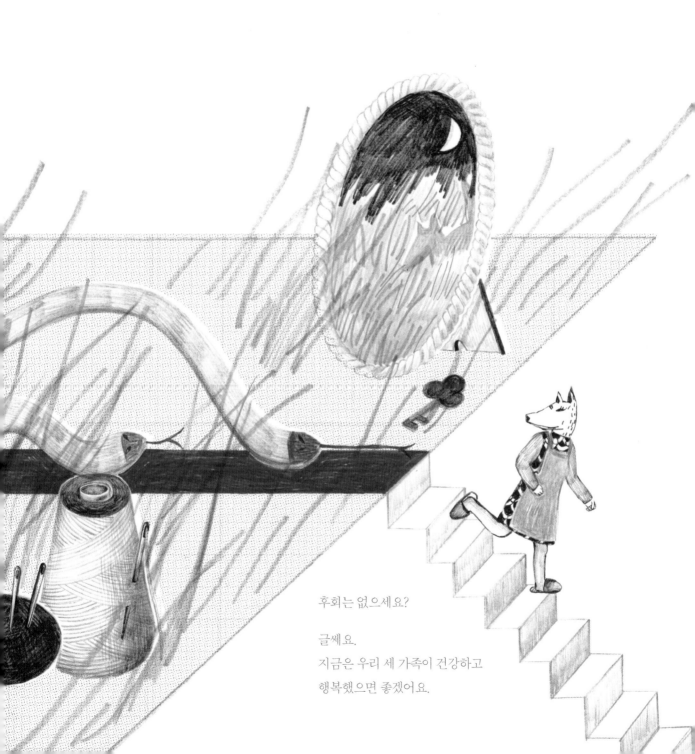

후회는 없으세요?

글쎄요.
지금은 우리 세 가족이 건강하고
행복했으면 좋겠어요.

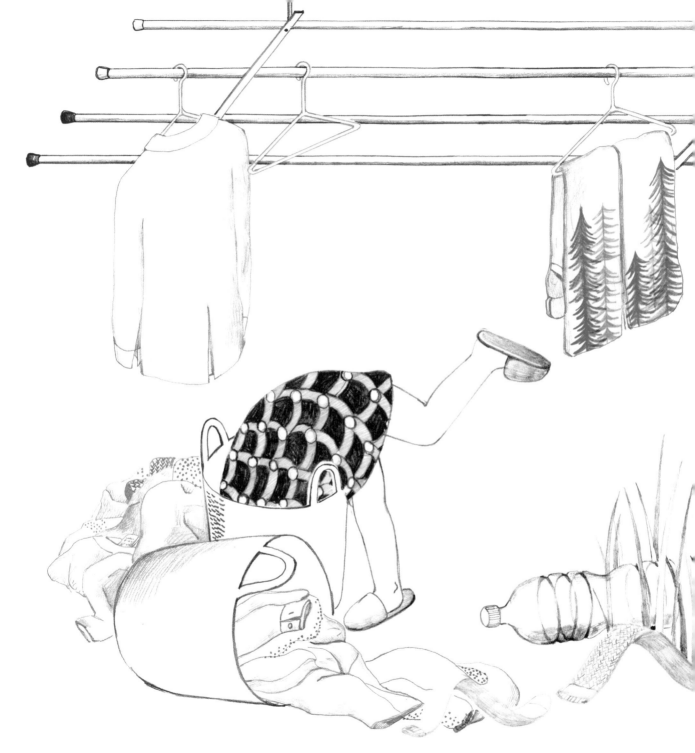

집안일 중 제일 힘든 건 무엇인가요?

매일매일 해야 한다는 거죠.
사냥은 쉬워요. 먹잇감을 향해 악을 쓰고 쫓으면 끝이죠.
하지만 집안일은 사방에서 한꺼번에 터지더라구요.

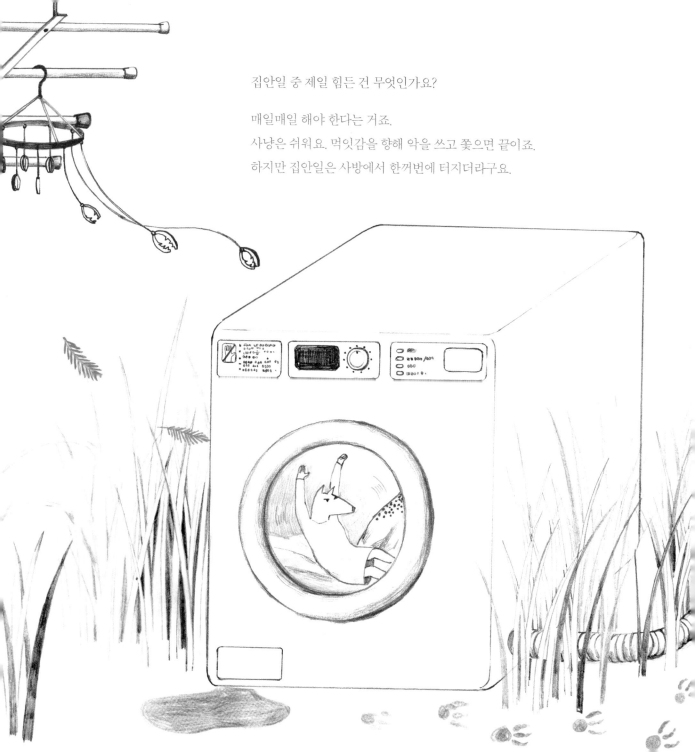

여기저기 눈에 보이는 것들을 정리하다 보면 끝이 없죠.
끊임없이 잔해들을 치우는 기분이에요.

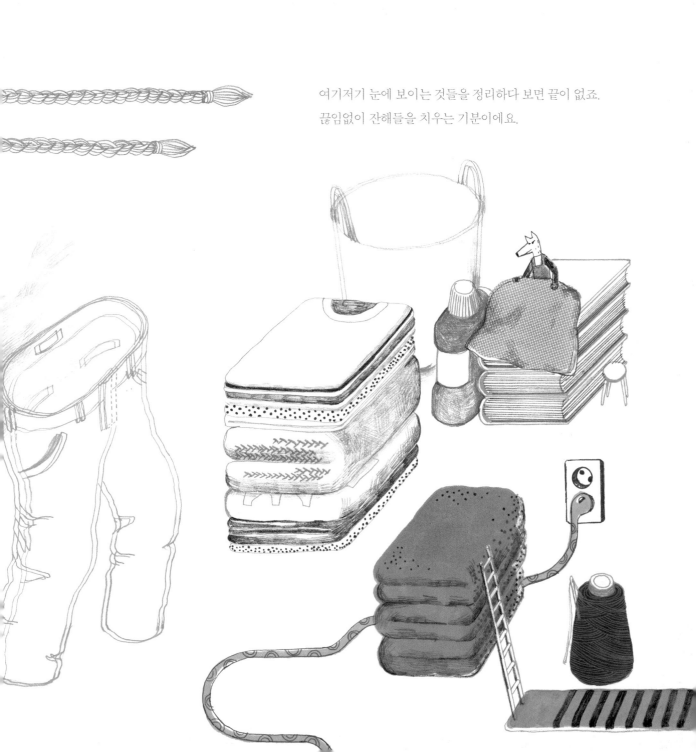

그렇다면 특별한 취미는 없으신가요?

음…
이곳저곳 여행 다니는 걸 좋아했어요
지금은…

그걸 어디선가 본 것 같은데…

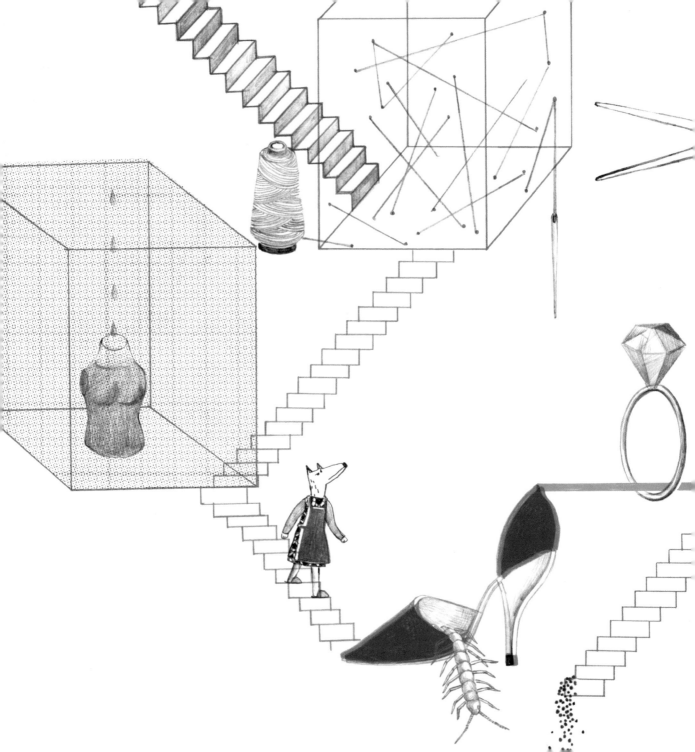

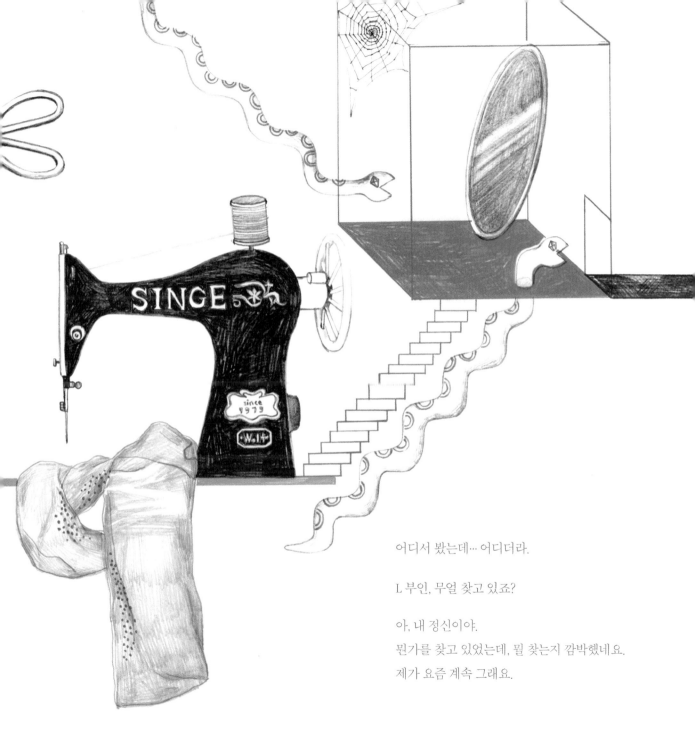

어디서 봤는데… 어디더라.

L 부인, 무얼 찾고 있죠?

아, 내 정신이야.
뭔가를 찾고 있었는데, 뭘 찾는지 깜박했네요.
제가 요즘 계속 그래요.

인간 세상에 적응하기는 수월하셨나요?

돌이켜 보니 처음에는 힘들었던 것 같네요.
차츰 좋아졌고, 지금은 괜찮아요.

아이를 키우다 보니 엄마로서 욕심도 생기더라구요.
그저 평범한 엄마가 되고 싶어요.

물론 보름달이 뜨는 날은 여전히 힘들죠.

하루 중 제일 바쁠 때는 언제인가요?

아침이 제일 바빠요.
아이의 등교와 신랑의 출근으로
아침을 두 번 차릴 때가 많거든요.
그리고 한숨 돌리고 하루를 시작해요.

근데 뭘 해야 되지, 하면서 넋 놓고 있다 보면
아이가 올 시간이 되는 날도 많아요.

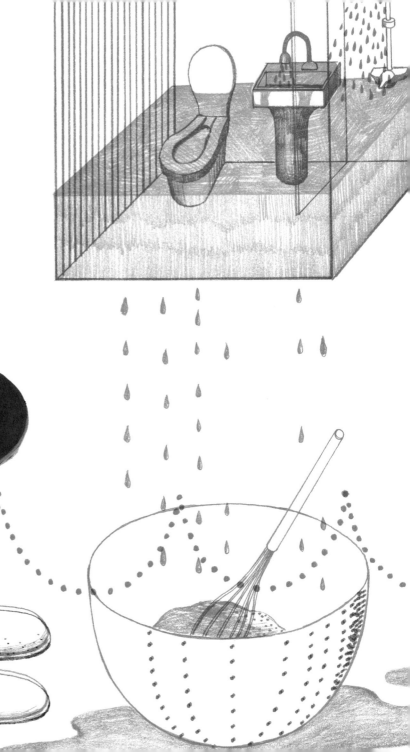

다시 숲으로 돌아가실 생각은 없으세요?

가끔은 꿈속에서 숲을 뛰어다녀요.
빨간 망토를 기다리기도 하고요. 그래도 지금은 옆에 아이와 신랑이 있잖아요.

아, 잠시만요. 그게 어디 있더라? 생각날 것도 같은데… 어디 있더라?

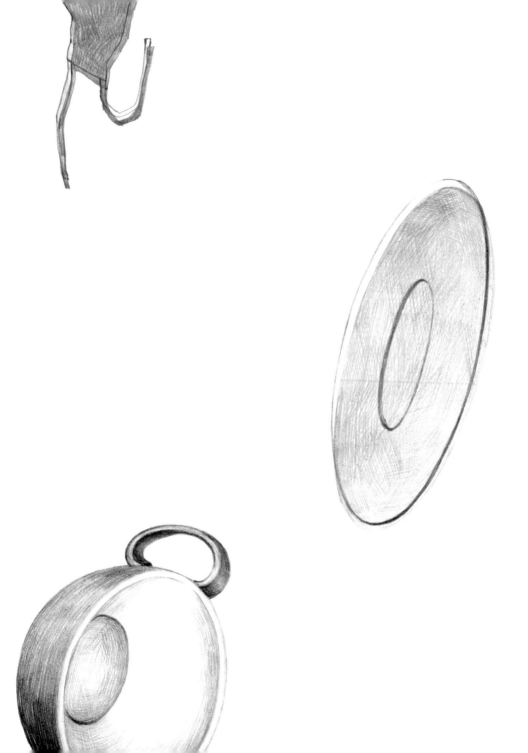

찾았다!

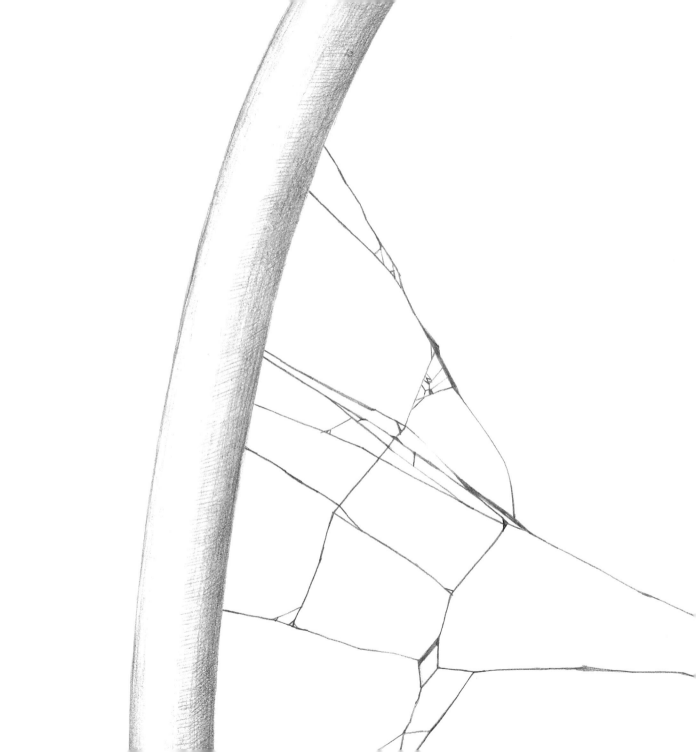

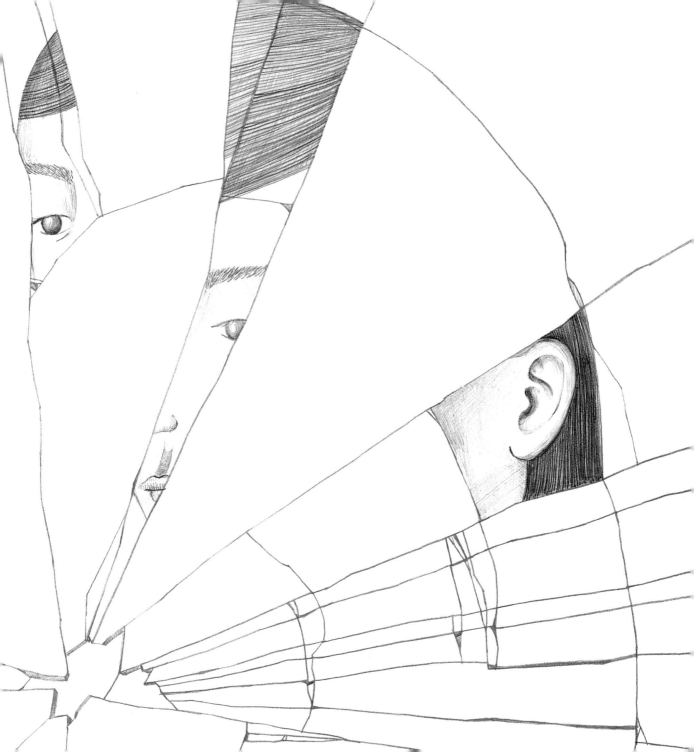

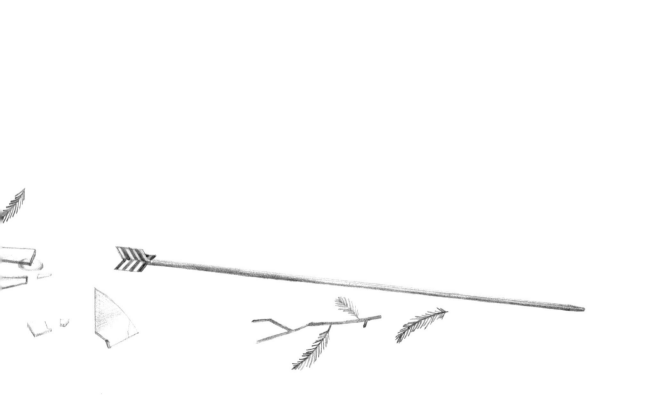

홍지혜

종종거리며 청소를 하던 어느 날 늑대를 만났습니다.
늑대는 자신의 이야기를 들려주었고 꼬옥 안아 주었습니다.
늑대의 이야기를 한 권의 책으로 만들기까지 많은 시간이 걸렸습니다.
그날 나에게 찾아와 준 늑대 부인에게,
그리고 밤마다 숲을 헤매는 부인을, 엄마를 기다려 준
신랑과 아이에게 이 책을 전합니다.

L 부인과의 인터뷰

초판1쇄 인쇄일 2018년 6월 8일
초판3쇄 발행일 2021년 7월 23일

글·그림   홍지혜
펴낸곳   atnoonbooks
펴낸이   방준배
디자인   홍지혜, BBANG
편집   정미진
교정   엄재은
등록   2013년 08월 27일 제 2013-000257호
주소   서울시 마포구 연남로 30

홈페이지   www.atnoonbooks.net
페이스북   atnoonbooks
인스타그램   atnoonbooks
유튜브   yt.vu/+atnoonbooks
연락처   atnoonbooks@naver.com

ISBN 979-11-88594-05-4

이 도서의 국립중앙도서관 출판시도서목록(CIP)은
서지정보유통지원시스템 홈페이지(http://seoji.nl.go.kr)와
국가자료공동목록시스템(http://www.nl.go.kr/kolisnet)에서
이용하실 수 있습니다.(CIP제어번호: CIP2018016959)

정가 16,000원

at|noon books

정오의 따사로움과 열정을 담은
어른들을 위한 그림책을 만듭니다.